GOYA

Text

Coca Garrido

Fotografien, Klischee und Reproduktion komplett geplant
und ausgeführt von den Technikern des Verlags
EDITORIAL ESCUDO DE ORO, S.A.

Editorial Escudo de Oro, S.A.

Francisco de Goya *y Lucientes*

EINLEITUNG

Das lange Leben Goyas, seine leidenschaftliche Persönlichkeit, die tiefe Verpflichtung gegenüber seiner Zeit sowie die turbulente Epoche, in die er geboren wurde, sind der Nachwelt in seinem umfangreichen Werk erhalten geblieben. Es handelt sich aber nicht um eine bloße künstlerische Chronik, sondern um eine persönliche Vision, bei der die menschliche Tiefe und der kritische Wert mit der ästhetischen Qualität auf gleicher Höhe stehen. Und dies gilt für das Gesamtwerk, egal, ob man die Gemälde, Wandbilder, Zeichnungen oder Stiche betrachtet. An Goyas Arbeiten lassen sich sein Leben und das seiner Zeit verfolgen, das der großen politischen Persönlichkeiten, des Adels, der Intellektuellen und Künstler, aber auch das des einfachen Volkes. In seinem Werk finden sich die vorherrschenden Stile seiner Zeit wieder, das späte Barock, das Rokoko, der Klassizismus; er war seiner Zeit mit Werken, die neue kulturelle Strömungen vorwegnehmen, die als romantisch, impressionistisch und surrealistisch bezeichnet werden können und die der modernen Malerei als Bezugspunkt gedient haben, sogar voraus. Die Intensität seines Blickes, seine technische Meisterschaft, seine tiefgehende psychologische und gestalterische Intelligenz, sowie seine Wahrheitsliebe, sein großer Ehrgeiz und seine Selbstsicherheit erlaubten es ihm, sowohl im Persönlichen als auch im Beruflichen ein erfülltes und ereignisreiches Leben zu führen, wenn dieses auch von einer gehörigen Portion Schmerz und Enttäuschung nicht verschont blieb. In seinen Kunstwerken, seinen Handschriften und den Zeugnissen seiner Zeitgenossen sind uns (neben vielen offenen Fragen) zahlreiche authentische Hinweise und Belege zu Leben und Werk des aragonesischen Meisters überliefert worden. Goyas Werk reicht von Fresken über religiöse Gemälde, die "schwarzen Malereien" und Miniaturen bis hin zu höfischen Bildnissen.

IE LEHRJAHRE (1746-1771)

Francisco Goya y Lucientes wird am 30. März 1746 in Fuendetodos in der Provinz Zaragoza als Sohn des Retabelvergolders José Goya und der dem aragonesischen Kleinadel angehörigen Gracia Lucientes geboren. Aufgrund der sozialen Stellung und der finanziellen Situation seiner Familie kann er seinen ersten Unterricht bei Pater Joaquín an der Ordensschule Escuelas Pías in Zaragoza nehmen, wo er vermutlich den einflußreichen Martín Zapater kennenlernt, der ihm von großer Hilfe sein und zu seinem engen Freund und Vertrauten werden sollte; dank dieser Beziehung verfügen wir über einen umfangreichen, wenn auch leider unvollständigen, privaten Briefwechsel, in dem vor allem politische Aspekte angesprochen werden und der bei der Erforschung von Goyas Persönlichkeit von großem Nutzen ist.

Schon sehr bald wird seine künstlerische Neigung deutlich, und im Alter von dreizehn Jahren tritt Goya als Schüler in das Atelier des Malers José Luzáns ein, der trotz seiner provinziellen Herkunft Hofmaler bei König Philipp V. ist. Vier Jahre verbringt der junge Goya hier und erlernt auf die damals übliche Weise, nämlich durch das Kopieren der Kompositionen italienischer und französischer Stiche, die Grundlagen des Handwerks. Aus dieser Etappe sind kaum Arbeiten erhalten geblieben, es scheint allerdings, als sei Goya nicht mehr als ein aufmerksamer Schüler gewesen, dessen spätere Entwicklung in keiner Weise abzusehen war. Er war in diesem Sinne ein Maler, der sich spät entwickelte. Seine Langlebigkeit erlaubte es ihm, künstlerisch zu reifen, die Klippen seiner eigenen Laufbahn zu umschiffen und die Krise in Spanien - er erlebte die Herrschaftszeiten der Bourbonen Ferdinand VI., Ferdinand VII., Karl III. und Karl IV. - sowie eine ganze Reihe transzendentaler politischer wie gesellschaftlicher Veränderungen wie die Konsolidierung des aufgeklärten Despotismus, die französische Invasion, die Ausrufung der Verfassung von Cádiz, die Verfolgung und den "weißen" Terror nach der Restauration des Absolutismus zu überstehen; Ereignisse, die für Europa und Spanien bis in die Gegenwart von Bedeutung gewesen sind.

DIE AKADEMIE SAN FERNANDO UND DIE REISE NACH ITALIEN

Im Jahre 1763 reist Goya, in Alter von siebzehn Jahren, erstmals nach Madrid, wo er am Zeichenwettbewerb der Königlichen Akademie San Fernando teilnimmt und versucht, ein sehr angesehenes Stipendium für Rom zu gewinnen. Nach dem Mißerfolg wiederholt er diesen Versuch 1766 und scheitert erneut, was ihn jedoch nicht daran hindert, die Tradition, zum Studium der großen Meister nach Italien zu reisen, auf eigene Kosten fortzusetzen. Sicher ist, daß sich Goya 1771 in Rom aufhält und wahrscheinlich Neapel und die Lombardei bereist, und man weiß auch, daß er über den polnischen Graveur Tadeus Kuntz, bei dem er wohnt, mit den italienischen Künstlerkreisen in Verbindung kommt und den Architekten und Graveur Piranesi kennenlernt. Vermutlich beginnt er auf dieser Reise, Erfahrungen mit Radierungen und Wandmalereien zu sammeln.

Eben aus dieser Zeit stammt das älteste erhaltene Gemälde Goyas, *Der siegreiche Hannibal erblickt von den Alpen aus zum ersten Mal Italien,* mit dem er während seines Italienaufenthalts im Jahre 1771 am Wettbewerb der Akademie der Schönen Künste in Parma teilnimmt. In diesem Zusammenhang tritt Goya erstmals öffentlich als Maler auf und stellt sich selbst als "Römer, Schüler des Francisco Bayeu" vor. Für das Gemälde erhält er eine besondere Erwähnung, in deren Erläuterung die Begabung und die sichere Pinselführung des Malers festgestellt und der warme Ausdruck sowie die grandiose Geste Hannibals gelobt werden. Das Werk überzeugt die Jury, die es auf den zweiten Platz setzt, zwar nicht voll, aber für die beginnende Laufbahn des jungen Goya bedeutet es bereits einen Erfolg, aufgrund dessen ihm bei seiner Rückkehr nach Zaragoza im gleichen Jahr ein gewisser Ruf vorauseilt. Von dem Gemälde (heute in der Stiftung Selgas-Fagalde in Cudillero, Asturien), das über zweihundert Jahre hinweg irrtümlich Corrado Giaquinto (Hofmaler im Jahre 1753) zugeschrieben worden war und dessen tatsächliche Urheberschaft man erst nach einer Reinigung

5

Die Schaukel. 1779

feststellte, war zunächst nur ein Entwurf bekannt gewesen.
Dieser Entwurf ist in einer schnellen, kraftvollen Machart mit
kurzen, pastösen Strichen ausgeführt. Aus technischer Sicht
läßt sich an ihm bereits der offene und ausdrucksvolle Stil des
Malers erkennen.

Die kürzliche Entdeckung des Gemäldes und der deutlich mit
dem Hannibal-Bild im Zusammenhang stehenden "Römischen
Mappe" wirft etwas Licht auf diesen Abschnitt von Goyas
Leben.

Ursprünglich beginnt er diese Mappe mit einigen sehr klassischen Skizzen nach der Natur, auf die er für spätere Arbeiten
zurückgreifen sollte, mit der Zeit aber, und über viele Jahre hinweg, wird sie zu einer Art Notizbuch, in dem Goya auch seinen
Wunsch festhält, nach Italien zurückzukehren, wenn er einmal
verheiratet sei. Es bleibt jedoch bei dem Wunsch und einer
Sehnsucht, die auch Velázquez schon verspürt hatte.

Bildnis des Francisco Bayeu. 1795

IE EINFLÜSSE (1772-1778)

BAYEU

Einer der ersten direkten künstlerischen Einflüsse auf das Werk Goyas ist der des ebenfalls aus Zaragoza stammenden Malers Francisco Bayeu, der von Mengs nach Madrid gerufen worden war, um an der Dekoration des neuen Königspalasts mitzuarbeiten. Bayeu wurde zum Mitglied der Akademie und ab 1767 zum Maler des Königs. Sein Werk läßt sich in den von Mengs vorgegebenen klassizistischen Rahmen einordnen. Trotz seines stolzen und strengen Charakters schenkte Bayeu den Fähigkeiten seines jungen Landsmanns seine Aufmerksamkeit und erkannte dessen Begabung. So begann Goya gelegentlich im Bayeus Madrider Atelier zu arbeiten. 1771 erhält er gemeinsam mit Bayeu und dessen Bruder Ramón den Auftrag zur Dekoration des Chores der

7

Kapelle der Virgen del Pilar in Zaragoza. Es handelt sich um seinen ersten wichtigen Auftrag, und der mächtige Francisco Bayeu begutachtet seine Skizzen. Im Jahre 1774 wird Goya auch mit den Fresken in der Kartause Aula Dei beauftragt, wo seine klassische Auffassung insofern zum Tragen kommt, daß er für die Komposition eine sehr plastische Darstellungsweise wählt, während er andererseits offen und schnell mit feinem Kolorit malt. Die Beschäftigung mit der Wandmalerei setzt Goya bis zu seiner Arbeit an der Wallfahrtskapelle San Antonio de la Florida in Madrid fort.

1773, kurz nach seiner Eheschließung mit Josefa, der Schwester Bayeus, wird Goya von Antonio Mengs nach Madrid gerufen. 1774 zieht das Ehepaar zum Schwager nach Madrid, und Goya beginnt, an den Teppichkartons für die königliche Gobelinmanufaktur in Santa Bárbara mitzuarbeiten.

Von Goyas engem Verhältnis zu Bayeu zeugen die diversen Bildnisse, die er zu verschiedenen Anlässen von diesem anfertigt. Das aus dem Jahre 1786 stammende (heute im Museum von Valencia befindliche), auf dem Bayeu am Fuße eines Gerüsts mit

*Der Blinde mit
der Gitarre. 1778*

einem Pinsel in der Hand zu sehen ist, entsteht, nachdem Goya dank der Einflußnahme Bayeus zum Maler des Königs ernannt worden ist. Die langen und erregten Meinungsverschiedenheiten zwischen den beiden sind zu diesem Zeitpunkt bereits vergessen. Das letzte Bildnis von Bayeu, das Goya anfertigt, ist wohl das bekannteste (heute im Madrider Museo del Prado). Es basiert auf einem Selbstbildnis Bayeus. Hier bringt Goya sein ganzes Können ein und wählt eine erlesene Farbenpalette und schafft so ein Bildnis von großer menschlicher Tiefe und würdiger Eleganz.

MENGS, TIÉPOLO UND ANDERE LEHRER

Behauptet Goya auch gegen Ende seines Lebens, er habe nur drei Lehrer gehabt, nämlich die Natur, Velázquez und Rembrandt, so wurde seine Künstlerlaufbahn doch auch von anderen Künstlern beeinflußt. Man kann sagen, daß Goya über die Gravur zur Malerei kommt, und daß es die Gravur ist, über die er die Grundregeln der Malerei erlernt. Goyas Wirken beginnt unter dem Einfluß des späten

Barock und geht nach dem Rokoko mit den spröden Lehren der klassizistischen akademischen Regelwerke weiter. Auf seinen ersten Einzelstichen, *Der Erdrosselte* und *Der heilige Isidor,* ist sehr deutlich der Einfluß Tiépolos und dessen Sohnes Lorenzo, der in erster Linie Graveur war, zu erkennen. Ein weiterer bedeutender Einfluß kommt von Mengs - dem 1761 nach Spanien gekommenen königlichen Maler, der über Bayeu und die Gobelinmanufaktur mit Goya in Verbindung steht - und dessen gefestigten klassizistischen Vorstellungen, idyllischen Motiven und leuchtender Palette. Goya wendet sich auf Anregung Mengs' und gewissermaßen dank der Gravur einmal mehr der Malerei zu, indem er sich an einem Projekt beteiligt, das der Förderung von Reproduktionen der großen spanischen Meister dient. Dank dieses Projekts hat er die Gelegenheit, die königlichen Gemäldesammlungen kennenzulernen, und wird von Velázquez in seinen Bann geschlagen. In seinen ersten praktischen Übungen bemüht er sich, beim Kopieren der Gemälde von Velázquez alle Möglichkeiten, die die Radierung bietet, zu entdecken und zu beherrschen, wobei er dem Meister in dessen malerischer Konzeption der offenen Formen und verschwommenen Abgrenzungen folgt.

Der Sonnenschirm.
1777

Der Töpfermarkt.
1779

GOYA ALS MALER VON TEPPICHKARTONS

Gegen Anfang 1774 erhält Goya den Auftrag, eine Reihe von Teppichkartons mit Jagdszenen für die königliche Gobelinmanufaktur in Santa Bárbara zu entwerfen. Ursprünglich sind diese Wandteppiche für den Escorial-Palast bestimmt. Von nun an und bis 1792 nimmt die Ausführung von Teppichkartons eine zentrale Stellung in der künstlerischen Produktion Goyas ein. Geplant ist der Entwurf eigener Dekorationen mit spanischen Motiven, um die Anhängigkeit von den niederländischen Teppichwirkern zu überwinden. In einer thematischen, dekorativen, sympathischen und sittlich orientierten Serie, die erst in den letzten Stücken einen kritischen Ton

Der Tanz am Ufer des Manzanares. 1777

annimmt, gelingt Goya bei den Teppichen die Beherrschung einer konventionellen Ausdrucksweise.

Diese Aufträge bedeuten für Goya in erster Linie die Gelegenheit, eine gewisse finanzielle Stabilität zu erlangen, sowie den Beginn seiner Laufbahn als Hofmaler. Auch wenn er zunächst noch eine eher unbedeutende Stellung einnimmt, so ragt er ob der Qualität und Originalität seiner Arbeit doch bereits heraus. Wie aus seinen Materialrechnungen deutlich hervorgeht, übt sich Goya in den Werkstätten auch als Maler, indem er seinen Farbsinn schult und über die Komposition seiner Teppichkartons entscheidet. Darüber hinaus hat er die Gelegenheit, seine Entwürfe für die Schlafgemächer im Prado dem König und den Prinzen von Asturien persönlich zu präsentieren, denen sie sehr gut gefallen. Im gleichen Jahr verstirbt Mengs in Rom, und Bayeu übernimmt die Leitung der Teppichentwürfe, für die in der Folge Motive verwendet werden, die fester in der spanischen Tradition verwurzelt sind. Von nun ab typisiert Goya das Volk aus einer freundlichen und idyllischen Perspektive, indem er es als "Majos" auf Festen und bei Alltagshandlungen darstellt.

Letztlich werden die Teppichkartons, die von 1775 bis 1792 im Mittelpunkt seiner künstlerischen Tätigkeit stehen, für Goya jedoch zu einer Last, die er vor sich herschiebt und nur widerwillig beendet.

*Ballspiel mit dem
Schläger. 1779*

DIE TRADITION DER SELBSTBILDNISSE

Das früheste von Goya bekannte Selbstbildnis stammt aus dem
Jahre 1774 und zeigt einen sehr jungen, aber stolzen und tech-
nisch schon recht gewandten Mann. Wie schon Rembrandt,
porträtiert sich auch Goya sehr häufig selbst - wohl 35 Mal -,
wobei er sich, wie Velázquez und in der Tradition der italienischen Malerei, manchmal auch auf Teppichkompositionen oder
Gruppenbildnissen unterbringt, und sogar auf einigen
Radierungen, beginnend beim Titelblatt zu den *Caprichos*
(Satiren) über *Der Schlaf der Vernunft gebiert Ungeheuer* bis
hin zu *Tauromáquia* (Stierkampf) und dem nicht veröffentlichten
Stich *Die Lüge und der Wankelmut,* auf dem er mit der Herzogin
von Alba zu erkennen ist. Erhalten geblieben ist uns auch das
berühmte, im Gegenlicht gemalte *Selbstbildnis mit Zylinder und
Kerzen,* das die Art und Weise wiedergibt, in der Goya seine
Werken nächtens zu vollenden pflegte.
Die Selbstbildnisse sind insofern interessant, daß Goya uns
über sie nicht nur seine ästhetisch-gestalterische Entwicklung
sichtbar macht, sondern auch seine ideologisch-psychologi-
sche Reife und seine eigene Stellung in einem bestimmten
gesellschaftlichen Rahmen.

13

*Der Kampf mit dem
Jungstier. 1780*

*Der Kampf mit dem
Jungstier, Detail*

*Christus am
Kreuz. 1780*

DIE AKADEMIE DER SCHÖNEN KÜNSTE SAN FERNANDO

1780 malt Goya für die Bewerbung um die Aufnahme in die
Akademie der Schönen Künste San Fernando, die ihm in sei-
ner Jugend zweimal verweigert worden war, das Bild *Christus
am Kreuz* und wird einstimmig als Ehrenmitglied akzeptiert.
Das klassische, mit verhaltenem Strich gemalte Bild, in dem er
im hohen Maße auf seine malerischen und schöpferischen
Freiheiten verzichtet, ist eine ordentliche Arbeit, die ihm für sein
Bestreben von Nutzen ist. An der Akademie lernt Goya Gaspar
Melchor Jovellanos kennen, der von diesem Moment an sein
großer Freund, Ratgeber und Mentor sein sollte. In einem
Bericht über seine künstlerische Lehrzeit, den die Akademie
verlangt, bringt Goya seine fortschrittlichen Ideen zum
Ausdruck, fordert mehr Freiheit für die Lehrlinge und einen
größeren Freiraum zur Schaffung eigener Werke sowie die
Abschaffung des Pflichtunterrichts.

15

ᴀM HOF (1780-1800)

ARENAS DE SAN PEDRO

In einem Brief an Zapater aus dem Jahre 1781 bringt Goya seine Freude und seinen Stolz darüber zum Ausdruck, daß er während der Herrschaftszeit von Karl III. einen weiteren wichtigen Auftrag erhalten hat, nämlich den für das Altarbild in der Kirche San Francisco el Grande in Madrid, *Der heilige Bernhard von Siena predigt vor Alfons V. von Aragon.* Man kann sagen, daß es mit Goyas Laufbahn nun steil bergauf geht; er arbeitet unermüdlich,

Ferdinand VII. in einem
Feldlager. 1814

und die Dekoration von San Francisco el Grande wird zu einem
regelrechten Wettbewerb, den er insofern gewinnt, daß er sich mit
diesem Gemälde einen Namen als Maler macht. Goya hofft zu die-
sem Zeitpunkt sehr, über den Minister Fürst von Floridablanca die
Verbindung zum Adel herstellen zu können. Er ist sechsunddreißig
Jahre alt und begierig darauf, den Durchbruch zu schaffen, aber
sein Aufstieg Bahn wird immer wieder von Hindernissen und
Ernüchterungen unterbrochen. Das Bildnis, das Goya 1783 von
Floridablanca malt, wird für ihn, der darin die Gelegenheit zum
Eintritt in die Oberschicht gesehen hatte, zu einer großen
Enttäuschung, denn der Minister weist seine Ambitionen kühl ab.
Der erste bedeutende Mäzen, der Goya für die zuvor erlittenen
Enttäuschungen entschädigt, ist der Infant Luis von Bourbon, der

17

Bruder des Königs, der ihn 1784 zu einem langen Aufenthalt in seinen Sommerpalast in Arenas de San Pedro (Provinz Ávila) einlädt,
wo er in der Abgeschiedenheit, die in der morganatischen Ehe mit
der Aragoneserin Maria Theresa von Vallabriga begründet ist, einen
kleinen Hof unterhält. Aus den Briefen, die Goya seinem Freund
Zapater schreibt, und in denen er seinen Stolz und die Freude zum
Ausdruck bringt, mit der er die Ehren und die willfährige Behandlung,
die man ihm zukommen läßt, genießt, wissen wir um seine
Genugtuung, die auch aus dem Gemälde *Die Familie des Infanten*

*Reiterbildnis der
Königin Maria Luisa.
1799*

Der Kardinal Luis Maria von Bourbon. 1800

Don Luis spricht. Es handelt sich um ein merkwürdiges Bild, auf dem eine vertrauliche Szene dargestellt ist, in der der Maler die Mitglieder des kleinen Hofes, einschließlich Kindern und Dienerschaft - zu der er sich selbst, seltsam geduckt am linken Rand des Bildvordergrundes stehend, hinzuzählt -, porträtiert. In Arenas de San Pedro entstehen auch noch andere Bildnisse von Mitgliedern der Familie des Infanten, wie das Maria Theresa von Bourbons, der späteren Gräfin von Chinchón und Gemahlin Godoys.

19

DIE ERSTEN AUFTRÄGE

Goyas Bestrebungen sind nicht immer erfolgreich. Als er sich um die freie Stelle des ersten Kammermalers bewirbt, wird diese an Salvador Maella vergeben, und als Mengs stirbt, wird Manuel Salvador Carmona zum neuen Direktor der königlichen Akademie der Schönen Künste San Fernando bestellt.

Aber 1785 wird Goya schließlich zum stellvertretenden Direktor für Malerei an der Akademie San Fernando ernannt und im darauffolgenden Jahr zum Maler des Königs. 1788 stirbt Karl III. und überläßt den Thron seinem Sohn Karl IV. und dessen Gemahlin Maria Luisa von Parma, die in der Folge häufig von Goya porträtiert werden. Goya genießt seine neue Stellung,

*König Karl IV.
in Uniform.
1799-1800*

denn König Karl IV. hält viel von ihm und macht ihn schon bald, nämlich 1789, zum Kammermaler. Unabhängig davon, was wir heute vermuten mögen, fühlt sich das Königspaar von Goyas Bildnissen, ob der Fähigkeit des Künstlers, mit meisterlicher Technik die Ähnlichkeit mit dem jeweiligen Modell zu wahren, sehr geschmeichelt.

Der aragonesische Maler zeichnet sich durch Sorgfalt bei der Verwaltung seines privaten Besitzes aus. Es sind zahlreiche Urkunden erhalten, die sich unter anderem auf seinen Besitzstand und die Aufteilung des Erbes zwischen ihm und seinem Sohn Javier nach dem Tod seiner Frau beziehen und dank derer wir wissen, daß Goya Stiche von Piraneso, Rembrandt, Wouwermann, Perelle und anderen besaß.

21

DIE BILDNISSE

Goyas Aufträge kommen zu dieser Zeit vom Adel, und im Herzogspaar von Osuna besitzt er nicht nur seine treuesten Mäzene, sondern sie üben auch den stärksten Einfluß auf seine Laufbahn als Maler und Intellektueller aus. Godoy, der Schützling der Königin, ist ein anderer ständiger Förderer des aragonesischen Meisters. Von ihm erhält er einige besondere Aufträge, wie den für die beiden *Majas*. Auch das Herzogspaar von Alba läßt sich von Goya porträtieren, vor allem die anmutige und intelligente Maria del Pilar Theresa Cayetana, von der er zu verschiedenen Gelegenheiten und in diversen Techniken zahlreiche Bildnisse anfertigt. Darüber hinaus beginnt Goya mit den Zeichnungen im

Reiterbildnis des
Generals Palafox.
1814

Die Familie des Herzogs von Osuna. 1788

Heft von San Lúcar de Barrameda, in dem er auf natürliche Weise das gesellschaftliche Leben der Herzogin darstellt. Ein besonderes Kapitel stellen Goyas Bildnisse der eigenen Familie dar, beginnend mit dem bereits erwähnten von Bayeu und dem jener Frau, die wahrscheinlich seine Gattin darstellt, über die seines Sohnes Javier und seines Enkels Mariano bis hin zu den herrlichen Miniaturen, auf denen wiederum sein Sohn Javier sowie die Familie seiner Frau Gumersinda Goicoechea porträtiert sind.

23

Bildnis des Jovellanos.
1798

IE AUFKLÄRUNG UND DER KRIEG (1801-1823)

DIE AUFGEKLÄRTEN

Seit seinem Eintritt in die Akademie, wo er Jovellanos kennenlernt, steht Goya mit den wichtigsten Persönlichkeiten der
spanischen Aufklärung in Verbindung. Jovellanos übt einen
starken Einfluß auf ihn aus, da viele Gemeinsamkeiten, wie die
Verehrung für Velázquez und die Liebe zur Natur, die beiden
verbinden. Er empfiehlt Goya für zahlreiche öffentliche Aufträge
und wird von ihm als Paradigma der Wahrheit und Weisheit, als
der herausragende Repräsentant der an der Macht beteiligten

General Urrutia.
1798

Aufgeklärten, porträtiert. In der Folge weitet Goya seine
Verbindungen in den illustrierten Kreisen des Hofes unter
anderem auf den Herzog von Osuna und dessen Familie aus,
mit der ihn eine fruchtbare Beziehung verbindet und für die er
außer Porträts im Jahre 1787 auch dekorative Paramente für
"La Alameda" malt. Das Herzogspaar von Osuna ist es auch,
das dem Werk Goyas erstmals einen Wert zumißt, indem es
seine Teppichkartonentwürfe und Stichserien sammelt und ihm

25

Die Marquise von Villafranca. 1804

die ersten Aufträge für Kabinettbilder mit Hexensabbat- und Zaubereimotiven erteilt.

Im Jahre 1793 erkrankt Goya schwer. Zwar erholt er sich nach einer langen Rekonvaleszenz wieder, ertaubt aber vollständig. In der Folge nimmt seine Sensibilität für das Absonderliche und Furchterregende zu. 1795 kommt er in Kontakt mit der Herzogin von Alba und erhält drei Jahre später den Auftrag für die Fresken in der Kirche San Antonio de la Florida, in denen er die Pracht des Barock mit der Frivolität des Rokoko und einem innovativen Expressionismus verbindet und die den Höhepunkt seiner Malerlaufbahn darstellen.

Seine Aktivitäten als Kammermaler kommen unterdessen fast zum Erliegen, da der Klassizist Vicente López seinen Platz einnimmt. Allerdings führt Goya doch noch einige Bildnisse aus, die als echte Meisterwerke gelten, wie das Bildnis des Grafen von Fernán Núñez und das Bildnis der Fürstin von Villafranca. Die Hauptaufmerksamkeit Goyas aber gilt einem privateren, heimlicheren Werk, nämlich den Zeichnungen und Stichen der *Desastres de la Guerra* (Schrecken des Krieges).

Dieser Staub. Zeichnung

Der Schlaf überwältigt sie. Zeichnung

Man kann es nicht ansehen. Zeichnung

DIE INQUISITION

Nach der Rückkehr von Ferdinand VII. an die Macht im Jahre 1814 muß sich Goya wegen der beiden *Majas,* die bei Godoy beschlagnahmt und für obszön befunden werden, vor der heiligen Inquisition verantworten. Es gelingt ihm, freigesprochen zu werden und seinen Status als Kammermaler zurückzuerlangen. Politisch betrachtet war Goya - wie alle Aufgeklärten - in gewisser Weise eine widersprüchliche Figur: einerseits Patriot, andererseits frankophil.

27

Duell mit dem Knüppel (1820-23). Die Grausamkeit und Nutzlosigkeit dieses Kampfes zwischen Gleichen beeindruc furchtbare Eindruck der Unbeweglichkeit der Figuren erinnert uns an die Rohheit der menschlichen Natur.

DIE QUINTA DEL SORDO

1819 zieht sich Goya als alter und kranker Mann in ein als "Quinta del Sordo" (Haus des Tauben) bekanntes Haus am Ufer des Manzanares zurück. Erneut erkrankt er schwer und muß von seinem Arzt und Freund Arrieta versorgt werden, findet aber noch die Kraft und den Mut, mit der beeindruckendsten Gemäldeserie seiner ganzen Malerlaufbahn zu beginnen. Zwischen 1820 und 1823 dekoriert er die Wände der Haupträume seines Hauses mit halluzinativen Malereien, die später mit dem Attribut "schwarz" bezeichnet werden sollten und in enger Verbindung mit den Zeichnungen und Radierungen der *Disparates* (Torheiten) stehen. In diesen Bildern konzentriert sich Goyas Verbitterung. Seine Motive scheinen die gewohnten zu sein: das Volk, Wallfahrten, Spiele, die Mythologie, die Religion; was sich geändert hat, ist seine Perspektive. Die Hexen sind hier nicht mehr lustig, wie in den *Caprichos,* sondern werden zu Parzen.

Zwei essende
Alte. 1820-1823

Leocadia.
1820-1823

Zu dieser Zeit lebt der Künstler bereits mit Leocadia Zorrilla, seiner Gefährtin der letzten Lebensjahre, zusammen. Die Beziehung beginnt vermutlich bereits einige Jahre zuvor, denn bereits 1814 wird Goyas geliebte Rosario geboren, von der man annimmt, sie sei seine Tochter.

IE VERBANNUNG (1824- 1828)

Nach der Restauration der absolutistischen Herrschaft durch Ferdinand VII. im Jahre 1823 läßt sich Goya unter dem Vorwand, er wolle in Plombières medizinische Bäder nehmen, sechs Monate beurlauben, um nach Frankreich zu reisen. Nach einem kurzen Aufenthalt in Paris, wo er den Louvre besucht und vermutlich zum ersten Mal Gemälde von Delacroix, Constable und David zu Gesicht bekommt, setzt es sich mit einigen Freunden und Mäzenen in Verbindung. Danach sucht er den bereits vor ihm ins Exil gegangenen Moratín in Bordeaux auf und läßt sich in dieser Stadt

Ich lerne noch. 1824-1828

Das Duell. 1819. Zeichnung

nieder, in die ihm Leocadia mit Guillermo, einem ihrer Söhne, und Rosario Weiss folgt. Über seinen Sohn erbittet Goya in Spanien die Verlängerung seiner Freistellung um weitere sechs Monate. Obwohl seine Krankheit nach einem Rückfall im Jahre 1825 als irreversibel gilt, erwacht der alte Meister zu neuem Leben und erlernt dank seines Freundes Gaulon die neue Technik der Lithographie. Sein unerschöpfliches gestalterisches Vermögen führt ihn in seinen letzten Bildnissen und Gemälden - wie *Das Milchmädchen von Bordeaux* oder der herrlichen, ein Jahr zuvor entstandenen Serie von vierzig Miniaturen auf Elfenbein - einmal mehr zu neuen Entdeckungen und Freuden. Aus dieser Phase des neuen Erwachens stammt auch eines der letzten Selbstbildnisse, eine kleine runde Tuschezeichnung, auf der er mit einer Schirmmütze abgebildet ist.
Das Milchmädchen gehört zu den wenigen Dingen, von denen wir wissen, daß Goya sie Leocadia hinterließ - mit der Empfehlung, das Gemälde "nicht für weniger als eine Unze Gold zu verkaufen". 1829 ging es in den Besitz Juan Bautista de Muguiros über.
Auf einer kleinen, in Bordeaux entstandenen Zeichnung entdecken wir einen alten Mann mit Krücken. Mit der Unterschrift *"Aún aprendo"*   31

("Ich lerne noch") liefert uns Goya einen Beweis für seine weiterhin
vitale und positive Einstellung.

Auch der Stierkampf gehört weiter zu seiner ständigen Thematik, sei
es auf kleinen Gemälden, Stichen oder Lithographien. Im Alter von
81 Jahren malt er das durch die Kraft und Qualität seiner Ausführung
überraschende Bildnis seines Freundes Juan Bautista de Muguiro.
In der Nacht vom 15. auf den 16. April 1828 stirbt Goya, und man
nimmt eine Inventur seines Besitzes vor, der neben vielen eigenen
Werken - Gemälden, Stichen und Zeichnungen - persönliche
Gegenstände und je ein Gemälde von Ribera und El Greco umfaßt.

Das Wunder des heiligen Antonius von Padua (1798). Entwurf für die Fresken von San Antonio de la Florida

ELIGIÖSE MALEREI

Obwohl Goya kein religiöser Künstler ist, bekommt er seine ersten Aufträge als Berufsmaler von der Kirche. Von den Fresken in der Basilica del Pilar bis hin zu denen der Wallfahrtskapelle San Antonio läßt sich beobachten, wie der Aragoneser seine eigene Auffassung von Stil und Komposition umsetzt. Den diesbezüglichen Höhepunkt stellt Goyas Interpretation eines religiösen Themas in den Fresken von San Antonio de la Florida dar, in denen er den Heiligen mitten in die Urwüchsigkeit und Volkstümlichkeit der Majos setzt, die seinem Wunder wie selbstverständlich beiwohnen, was wegen des vermeintlichen Mangels an Ehrfurcht stark kritisiert wurde. In der Anfangszeit sind Goyas Werke recht stark klassizistisch beeinflußt, wie etwa *Der heilige Bernhard heilt einen Gelähmten* (1778), in dem sich der Einfluß Mengs' erkennen läßt und das, wenn es auch nicht weiter herausragt, doch durch seine Nüchternheit und seinen Mystizismus überzeugt. Im Rahmen des gleichen Auftrags entstehen *Die heilige Lutgarda, Der Tod des heiligen Josef* und *Jesus im Olivenhain,* in dem der Einfluß Rembrandts nicht nur aus dem

33

Motiv selbst, sondern auch aus dem dramatischen Licht spricht, das auf den knieenden – in schnellen, meisterhaft gesetzten Pinselstrichen, durch die der dunkle Bildhintergrund hindurchscheint – ausgeführten Christus fällt. Dieses Gemälde zählt neben *Die letzte Kommunion des heiligen Josef von Calasanz* zu den Juwelen der mystischen Malerei Spaniens. 1787 entstehen dann die drei herrlichen Bilder für die Kirche Santa Ana in Valladolid, und unter den 1788 entstandenen Werken ragt *Der heilige Franz von Borja steht einem unbußfertigen Sterbenden bei* heraus.

Das Werk *Die Ergreifung Christi* stellt den Moment dar, in dem Christus ausgeliefert und seiner Kleidung entledigt wird, um gekreuzigt zu werden. Der Kontrast des Lichts, das düstere Halbdunkel, das die Szene umgibt und eine klare Reminiszenz an Rembrandt darstellt, und das intensive, die Figuren erhellende Licht spiegeln gemeinsam mit dem lockeren Pinselstrich dentlich Goyas Faszination für das holländische Genie wieder. Das Gemälde ist eine Auftragsarbeit für die Kathedrale von Toledo, wo es für einen links von El Grecos *Plünderung* befindlichen Seitenaltar bestimmt ist. Goya überrascht uns mit diesem Bild, auf dem die johlende Menschenmenge hinter Jesus an die Ungeheuer der "schwarzen Malereien" erinnert, die zu diesem Zeitpunkt noch nicht gemalt waren, anscheinend aber in seinen Gedanken schon existierten. Diese Menschenmenge kontrastiert mit den resignierten Zügen Jesu, der sich mit seiner makellosen weißen Tunika von der Gewalt und Dunkelheit der Szene abhebt.

Die Ergreifung Christi. 1798. Entwurf

Die Wachteljagd.
1775. Teilansicht

ℋOFMALEREI

DIE TEPPICHKARTONS

Das unter der Leitung eines Kammermalers wie Bayeu oder Mengs stehende Projekt zur Dekoration der königlichen Paläste gestaltete sich insofern schwierig, daß die Kartonserien sowohl thematisch als auch in ihren Abmessungen den jeweiligen Räumen, für die sie bestimmt waren, bzw. deren freien Wandflächen entsprechenden genauen Vorgaben unterworfen waren. Das Verfahren war langwierig. Zunächst wurde ein relativ kleinformatiger Entwurf angefertigt, der nach seiner Billigung zur Ausführung eines Kartons oder Ölgemäldes verwendet wurde. Der Teppichkarton bzw. das Gemälde diente den Teppichwirkermeistern dann als Vorlage für ihren Wandteppich. Die neuen Themen der Teppiche der königlichen Manufaktur entfernen sich von den üblichen mythologischen Motiven. Sie stellen Verherrlichungen des Volkes und des Landlebens aus einer idyllischen, kultivierten, eleganten und humorvollen, auf

Streit im neuen Wirtshaus. 1777

die Feste und Spiele der Spanier gerichteten Perspektive dar. So entstehen nicht nur eindrucksvolle und dekorative Kompositionen, sondern es bildet sich - ausgehend von Goyas Teppichkartons - auch das Bild der Majos und Majas als Sinnbild des Spanischen heraus. Zwischen 1775 und 1780 fertigt Goya 39 solcher Teppichkartons an, dann, zwischen 1786 und 1788, elf und schließlich, in den Jahren 1791 und 1792, während der Herrschaftszeit Karls IV., noch einmal sieben, diese letzten aber nur widerwillig. Bedeuten die Kartons für Goya auch die Gelegenheit, sich in der Malerei zu üben, als Maler in den Dienst des Hofes einzutreten und sich einen gewissen Ruf zu verschaffen, so sind sie doch nicht letztes Ziel seiner hohen Ambitionen.

Die Wachteljagd aus dem Jahre 1775 gehört zu einer Serie von neun Kartons mit Jagdmotiven, die für den Speisesaal des Prinzenpaares von Asturien im Klosterpalast San Lorenzo del Escorial bestimmt waren. Sie stammt aus der Zeit, in der Goya unter der Aufsicht seines Schwagers arbeitet.

Die harmonische Komposition stellt eine den Zeitgeschmack gut treffende, typische Jagdszene dar. Indem er die unvermeidliche Vertikalität der Landschaft mit diagonalen Flächen bricht, erzeugt Goya unter Anwendung seiner Kenntnisse von der

*Kinder mit
Hirtenhunden.
1786-1787*

Bildkomposition eine gewisse Dynamik. Mit der Landschaft als Kunstgattung beschäftigte er sich übrigens nur selten.

Der Karton für den Wandteppich *Das neue Wirtshaus* zeigt ein Genrebild, das Goya die Gelegenheit gibt, dreizehn Personen bei verschiedenen, zu seiner Zeit auf den Wegen Spaniens wohl recht gewöhnlichen Handlungen darzustellen.

Goya scheint eine gewisse Schwäche zu haben, die zur Zärtlichkeit wird, wenn es um Kinder geht. Ob des Anmuts und der schönen Farbgebung ihrer mit perlmuttartigen Reflexen versehenen Figuren, an denen sich die Sorgfalt des Malers bezüglich der verschiedenen Beschaffenheiten und Texturen erkennen läßt, ragen sie unter allen Figuren heraus. Auf *Kinder beim Soldatenspiel* (1779) steht ein als Soldat verkleidetes Kind im Mittelpunkt einer gelungenen Komposition, in der Goya im Bildhintergrund zwei Diagonalen gegenüberstellt, nämlich die des Bodens bzw. der Böschung und die des durchscheinenden

Kinder beim Soldatenspiel. 1779

Knaben bei der Obsternte. 1778

Baumes zur Linken. *Kinder beim Aufblasen einer Blase* (1778) zeigt eine nette Szene mit zu Streichen aufgelegten Kindern.

Goya mag Kinder, und er mag Hunde. Er ist ein begeisterter Jäger, und die Jagd ist ein häufiges Thema seines Briefwechsels mit Zapater und in gewisser Weise auch dieser ersten Wandteppiche. Im Rahmen des Erlaubten greift Goya auf der Suche nach der Ursprünglichkeit seiner Werke auf Themen zurück, die ihm persönlich geläufig sind und in irgendeiner Form zu seinem Erfahrungsschatz gehören. Im späteren Werk sollte dies zu einer Konstanten werden.

Auch auf dem für den Palacio del Pardo bestimmten Teppichkarton *Knaben bei der Obsternte* gibt Goya eine Szene aus der Welt der Kinder wieder. Es wird angenommen, daß derartige Motive dem Geschmack und den Vorlieben der Infanten, der Kinder des Königspaares, entsprachen.

Der Karton *Kinder mit Hirtenhunden* gehört zu einer Gruppe von Wandteppichen mit wenigen Figuren, aber umso gewagteren Kompositionen und komplexen Strukturen, wie sich am zweiten Hund erkennen läßt.

Die zwischen 1786 und 1788 entstandenen Kartons für den Pardo-Palast - während Goya an ihnen arbeitete, wurde er kurz vor dem Tode Karls III. zum Maler des Königs ernannt - waren für den Speisesaal bestimmt und stellen in einer rein dekorativen Konzeption die vier Jahreszeiten dar. Sie haben wohl keine über die Darstellung an sich hinausgehende Bedeutung.

Die Tenne oder *Der Sommer* ist Goyas größter Teppichkarton. Er stellt hier einen großen, teilweise offenen Raum dar, indem er die Komposition mit dem Heuhaufen zur Rechten abschließt und bremst. Auf diesen Kompositionsaufbau sollte Goya noch verschiedentlich zurückgreifen. Vermittels der Darstellung der Figuren bei verschiedenen, entspannten Tätigkeiten versucht Goya, der Szene eine gewisse Natürlichkeit zu verleihen.

Die Komposition der bezüglich Funktion und Behandlung von Farben und Pinselstrich äußerst fragilen Szene wirkt trotzdem ausgeglichen und elegant. Die dargestellte Lebensfreude wird ob ihrer Unwirklichkeit aber wohl nicht lange erhalten bleiben.

Der Schneefall oder *Der Winter:* In diesem Werk setzt Goya seine Figuren in eine unwirtliche Atmosphäre mit starkem Schneefall und kaltem, gedämpftem Licht und konzentriert sich auf die rauhen und zugleich flüchtigen Texturen der Umhänge.

Die Blumenmädchen oder Der Frühling. 1786-1787

Die Weinlese oder Der Herbst. 1786-1787

Der Schneefall
oder Der Winter.
1786-1787

Der verletzte Maurer ist einer der Teppichkartons, der sich vom idyllischen Glück des Volkes, dessen Darstellung der Hauptzweck dieser dekorativen Gemälde zu sein schien, entfernt. Auf den ersten Blick handelt es sich um ein soziales Motiv, berücksichtigen wir aber den Originalentwurf, den Titel und die Haltung der dargestellten Figuren, so lassen sich trotz ähnlicher Wirkung doch Abweichungen feststellen.

Auf Der trunkene Maurer scheinen die Maurer zu lächeln, und der Ausdruck des Getragenen ist weniger eindeutig.

Der trunkene Maurer. 1786.
Entwurf für Der verletzte Maurer

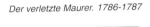

Der verletzte Maurer. 1786-1787

Die Wallfahrtskapelle San Isidro (1788). Dieser Teppichkarton berichtet von der Popularität der Feierlichkeiten zu Ehren des Stadtheiligen von Madrid, an denen das Volk ausgelassen und fröhlich teilnahm.

Möglicherweise wollte Goya ursprünglich auf die Folgen des Alkoholmißbrauchs hinweisen.

Der Anger von San Isidro: Dieser Entwurf wird wegen der großen Schwierigkeit, die seine Umsetzung als Teppich bedeutet hätte, nicht als Karton ausgeführt. Später erwirbt ihn das Herzogspaar von Osuna. Es handelt sich um eines der ehrgeizigsten Werke, die Goya für diese Serie malt, und er überschreitet bei der Vollendung des Entwurfs sogar die dafür vorgesehene Zeit.

Auf *Die Blindekuh* scheint ein unter den, sich hier als Majos im Freien vergnügenden, Höflingen übliches Spiel dargestellt

43

Der Anger von San Isidro. 1788

Die Blindekuh.1788-1789

Die Gliederpuppe.
1791-1792

zu sein. Goya würde dieses Motiv - wie viele andere - zu einem späteren Zeitpunkt wieder aufnehmen, wenn auch mit einer völlig anderen Bedeutung.

Bei *Die Gliederpuppe* handelt es sich um ein weiteres Spiel. Während eines Tages im Jahr haben die Frauen das Sagen, und unter ihren Freiheiten befindet sich das Emporschnellen einer die Männer repräsentierenden Strohpuppe mit Hilfe einer Decke. Das Motiv kehrt in den *Disparates* wieder, wo jedoch ein toter Esel und zwei schlaffe Puppen emporgeworfen werden.

45

Der Herzog von Alba.
1795

BILDNISSE DES ADELS

Die Bildnisse, die Goya von Adeligen macht, stehen in gewisser Weise mit der so sehr von ihm gewünschten Aufnahme in die oberen Schichten der Gesellschaft im Zusammenhang. Aus den ersten wichtigen, mit Sehnsüchten und Hoffnungen beladenen, Auftragsarbeiten spricht Goyas Wunsch zu triumphieren, und er rückt die Werke gar in die Nähe von Selbstbildnissen. Zwischen 1793 und 1818 stellen die Bildnisse den Mittelpunkt von Goyas

*Die Herzogin von
Alba und die
Betschwester. 1795*

Schaffen dar. In dieser Zeit porträtiert er die großen Adelsfamilien, seine aufgeklärten Freunde und seine eigene Familie und wird zu einem der bestbezahlten und in der Oberschicht angesehensten Maler. Das Bildnis des Fürsten von Fernán Núñez etwa braucht den Vergleich mit den herausragenden Bildnissen der englischen Tradition nicht zu scheuen. Aus dem Bildnis des Herzogs von Alba spricht die Feinfühligkeit jenes Menschen. Das Bemühen um die vertrauliche Persönlichkeit der Pose zeugt von künstlerischen und intellektuellen Neigungen, wie auch von großer Eleganz und vornehmer Würde, die Goya für die Nachwelt unsterblich gemacht hat. Auf dem Bildnis der als Maja gekleideten Herzogin von Alba erscheint diese mit ihrem typischen dunklen Haarschopf und der schlanken und anmutigen Figur, die sie auch auf anderen Gemälden und Zeichnungen des aragonesischen Meisters, für den sie ein bevorzugtes Modell ist, erkennbar macht. Während seiner Tätigkeit als Kammermaler malt Goya auch eines der wichtigsten Gruppenbildnisse der Kunstgeschichte, nämlich *Die Familie von Karl IV.* In der Mitte dieses Bildnisses steht das Königspaar mit seinen jüngsten Kindern, dem Infanten Francisco von Paula an der Hand der Königin und der von ihr umarmten Infantin Maria Isabel. Ganz links erscheint

47

Die Familie von Karl IV.
1800

der Infant Carlos Maria Isidro, daneben der Prinz von Asturien und spätere Herrscher, Ferdinand VII.; hinter diesem Maria Josefa, die Schwester des Königs. Dann folgt die undeutliche Figur der zukünftigen Verlobten Ferdinands VII. Rechts vom König steht sein Bruder, der Infant Don Antonio Pascual, dann folgen die Infantin Doña Carlota Joaquina - im Hintergrund - und Don Luis von Bourbon mit seiner Gemahlin Maria Luisa, die den kleinen Carlos Luis im Arm hält. Ein wenig scheint es, als greife das Gemälde Velázquez' *Las Meninas* auf; die Anordnung der Familie - wenn sie hier auch nicht ganz so natürlich und zufällig erscheint wie dort - und die Darstellung des Künstlers selbst innerhalb der Gruppe - wenn auch ziemlich abseits, fast wie ein Spion an den linken Bildrand gedrängt - könnten diesbezüglich Indizien darstellen. Seinerzeit war das Gemälde, vor allem wegen der Darstellung des Königspaares, eines verweichlichten und abwesenden Karl IV. und einer strengen und selbstgefälligen Königin in der Bildmitte, ziemlich umstritten. Die Entwürfe zu diesem Familienporträt stellen die eigentlichen Bildnisse dar, in denen der Künstler nicht nur die Psychologie, sondern auch das tatsächliche

Bildnis der Infantin Maria Josefa. 1800. Entwurf

Luis von Bourbon, Prinz von Parma. 1800. Entwurf

Bildnis des Infanten Carlos Maria Isidro.
1800. Entwurf

Bildnis des Infanten Antonio Pascua.
1800. Entwurf

Aussehen der dargestellten Personen erfaßt. Auf dem Gruppenbildnis verflüchtigen sich die Gesichtszüge in einer Weise, die in einigen Fällen sogar die Identifikation erschwert. Andererseits läßt sich an diesem Gemälde eine Entwicklung der plastischen Darstellung konstatieren, die in einem reifen und sicher gesetzten Pinselstrich ihren Ausdruck findet, der bei den subtilsten Tönen genauso zur Anwendung kommt wie bei den pastös aufgetragenen glänzenden Farbschichten.

*Toter Truthahn und
Korb. 1808-1812*

KABINETTGEMÄLDE

Dieses Stilleben gehört zu einer Serie von zwölf zwischen 1808 und 1812 entstandenen Gemälden, die vermutlich für den Speisesaal des Fürsten von Yumuri vorgesehen waren und später von Mariano Goya erworben wurden. Bei ihnen läßt sich sowohl an der Interpretation der Motive als auch an der geheimnisvollen Spannung, die von ihnen ausgeht, Rembrandts Einfluß erkennen. Es ist wenig wahrscheinlich, daß Goya Gelegenheit hatte, persönlich irgendein Gemälde des Holländers zu sehen, er war allerdings in der Lage, dessen ästhetisches Anliegen zu erkennen, das er zeitverschoben mit ihm teilte.

Der Begriff *"capricho"*, der zu Goyas Zeiten zur Bezeichnung von Werken dient, die nicht als Auftragsarbeiten, sondern aus eigenem Antrieb des jeweiligen Künstlers entstehen, steht für das neue Gedankengut der eigenständigen Maler, "denn sie wandeln auf schwierigen Pfaden und entwickeln neue Konzepte". Das Capricho findet in Goyas Kabinettgemälden und Stichen seinen höchsten Ausdruck. Und zwar vor allem in

Die nackte Maja.
1798-1805

jenen Gemälden, die Yriarte nach der Genesung, aber völligen Ertaubung, des Meisters in Andalusien vor der Akademie San Fernando präsentiert. In einem Brief an seinen Freund Zapater bringt Goya den Wunsch zum Ausdruck, einen Teil seiner Zeit seinen "Pflichtwerken" zu widmen und den Rest Dingen "nach seinem Geschmack". Und im Rahmen der Präsentation seiner Gemälde durch Yriarte vor den Akademikern läßt er wissen, er habe "Feststellungen gemacht, die sich in der Regel anhand der Auftragsarbeiten, in denen das Capricho und die Erfindung keinen Platz haben, nicht machen lassen".

Die Herzogin von Osuna ist die erste, die bei Goya kleinformatige Arbeiten für die Dekoration ihres privaten Kabinetts in Auftrag gibt. Sie ist auch die erste, die damit beginnt, seine Teppichkartonentwürfe sowie die Hexereimotive, mit denen sich Goya zu jener Zeit beschäftigt, zu kaufen. Man weiß, daß für *Die nackte Maja,* ein Gemälde, das wegen der Haltung des Kopfes und der Härte und Unnatürlichkeit der Gesichtszüge

*Die bekleidete Maja.
1798-1805*

stark kritisiert wurde, Pepita Tudor, die Geliebte Godoys, Modell
stand. Goyas Aufmerksamkeit galt hier eher den Perlmuttönen
der Haut und dem Volumen der Figur. Die zweite *Maja* in ihrer
schnellen und gelösten Machart gefiel dem Künstler besser;
schließlich und endlich wurden Aktdarstellungen, zumindest
wenn sie - wie hier - keine mythologischen Konnotationen hatten,
in jener Epoche auch noch nicht als Selbstverständlichkeit
hingenommen. In einer der kritischen Epochen des politischen
Lebens in Spanien bedeuten diese Werke für Goya einige
Komplikationen mit der Inquisition.

Die beiden Majas lassen sich - nicht aufgrund ihres Formats,
sondern wegen ihrer privaten Bestimmung - der Kabinettmalerei
zuordnen. *Die nackte Maja,* die in Godoys Auftrag entsteht, bildet ein Paar mit der *Venus mit dem Spiegel* von Velázquez, die
Godoy vermutlich von der Herzogin von Alba geschenkt bekom-
men hatte, und die zweite, *Die bekleidete Maja,* war dazu
gedacht, über die erste gehängt zu werden.

Der Flug der Hexer.
1797-1798

Unter den als Kabinettgemälden bezeichneten Werken gibt es in der Sammlung des Marquis von Romana einige, bei denen die Genauigkeit und Detailtreue vermuten läßt, daß die dargestellten Ereignisse tatsächlich stattgefunden haben. Es handelt sich um Titel wie *Das Verbrechen in der Burg, Banditen bei der Erschießung ihrer Gefangenen, Banditenüberfall, Schiffbruch* (1793), *Der Flug der Hexer* (1797-98) oder Ein Bandit ersticht eine Frau (1798-1800), auf dem implizit eine Vergewaltigung und explizit die Vollendung des Verbrechens dargestellt ist. Alle diese Motive finden sich in diversen Techniken und mit unterschiedlicher Akzentuierung im gesamten Werk Goyas wieder. Aus ihnen allen spricht die Gewalt, die Straflosigkeit der Niederträchtigen, die Wollust und Brutalität dieser in einer Höhle von Dunkelheit und Gegenlicht umgebenen und eingeschlosse-

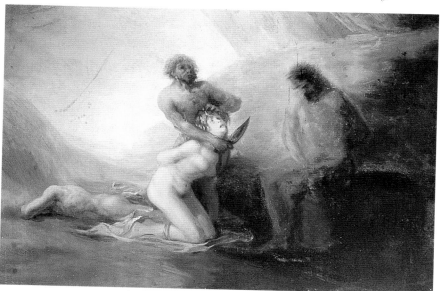

*Wilde enthaupten eine
Frau. 1800-1805*

Der Schiffbruch. 1793

nen Figuren. Wirken die Motive zunächst auch vielleicht anekdotenhaft, so sind sie es angesichts der psychologischen Konnotationen und der Polarisierungen gut-böse, Licht-Schatten, innen-außen usw. - Elementen des meisterhaften Analysever-mögens des aragonesischen Genies - doch nicht.

55

Auf der 2. Mai 1808 (1814) ist den Angriff der Madrider auf die Mamelucken der Kaiserlichen Garde Napoleons dargestellt.

OLITISCHE MALEREI

Goya begreift seinen Beruf als Laufbahn und sich selbst in aller Konsequenz als Berufstätigen, was ihn dazu bringt, alle Aufträge, ob öffentlicher oder privater Natur, anzunehmen. Durch diese Haltung gerät er mehr als einmal in unbequeme Situationen, wie etwa mit der *Allegorie auf die Stadt Madrid,* einer Auftragsarbeit für die Stadtverwaltung, auf dem eine die Stadt Madrid repräsentierende Frauenfigur auf ein großes Medaillon wies, in dem sich ein Bildnis des damaligen Souveräns Joseph Bonaparte befand. Goya beendet die Auftragsarbeit am 27. Februar 1810. Im Jahre 1812, nach der Vertreibung der Franzosen, wird das Bildnis im Medaillon durch die Inschrift *"Constitución"* (Verfassung) ersetzt, dann kehren König Joseph und mit ihm sein Porträt zurück, verschwinden aber bereits im Jahre 1813 wieder unter der Inschrift

Die Erschießung der Aufständischen. 1814

"Constitución", die ihrerseits schon bald mit dem Bildnis Ferdinands VII. übermalt wird. 1843 tritt an dessen Stelle die Inschrift *"El Libro de la Constitución"* (Das Buch der Verfassung), die schließlich dem vergeblichen Versuch Goyas, das ursprüng-liche Bildnis Bonapartes wiederherzustellen, zum Opfer fällt und durch die Inschrift *"Dos de Mayo"* (Zweiter Mai) ersetzt wird. Im Jahre 1814 wendet sich Goya an den Regentschaftsrat und bietet an, die "herausragenden und heldenhaftesten Ruhmestaten" des Krieges zu malen. Vermutlich handelte es sich um ein episches Projekt, letztlich entstehen jedoch nur zwei außerordentliche Werke, *Der 2. Mai 1808* und *Die Erschießung der Aufständischen,* auf denen die Gewalt und das Blut des Krieges ihre heroische Erhöhung finden, und zwar vor allem auf dem zweiten Gemälde, auf dem der Pathos angesichts des unvermeidlichen Todes und des bereits vergossenen Blutes durch seine tiefe Menschlichkeit berührt.

Der Koloß. 1808-1812

Der Koloß. Detail

*Bildnis von
Ferdinand VII. im
Krönungsmantel.
1814*

Die beiden Gemälde stellen darüber hinaus einen Beweis für
den Umfang des darstellerischen Vermögens Goyas dar, denn
während auf dem Gemälde über den Aufstand in Madrid die
Farbigkeit, der romantische Schwung und die formale Strenge
im Vordergrund stehen, verdankt die Darstellung des
Standgerichts ihre Ausdruckskraft dem Schwarz der Nacht,
dem Weiß der Hemden und dem Rot des Blutes auf der körni-
gen Textur.

Der Hexensabbat. 1820-1823

$\mathcal{D}$IE SCHWARZEN MALEREIEN

Diese Gruppe umfaßt vierzehn Ölgemälde auf Gips, je zur Hälfte bestimmt für das Erdgeschoß und den ersten Stock der "Quinta del Sordo".

Über die Einordnung dieser Gemälde ist sich die Goyaforschung nicht einig. Während einige der Bilder diverse stilistische Unterschiede aufweisen, scheinen andere einer Serienkonzeption zu entspringen. So überraschend sie auch auf uns wirken mögen, so sind sie doch alle typische Arbeiten Goyas, nur daß der Blick des Meisters sie in diesem Fall mit mehr Bitterkeit, Haß und Enttäuschung versah. Nichts war negativ genug, daß Goya nicht mit erlesenem und unbarmherzigem Pinselstrich, unter Verwendung der grellsten und der dunkelsten Farben, mit all seiner Wut und aus ganzem Herzen, malerisch Stellung dazu genommen hätte.

Aus der dekorativen Qualität dieser Gemälde spricht Goyas Erfahrung bei der Fertigung von Teppichkartons, wenn sich auch ihre Bestimmung ändert; denn wäre etwa *Saturn verschlingt einen seiner Söhne* im Speisesaal denkbar? Auch seine bevorzugten Motive greift er wieder auf, so etwa Leocadia und die Maja, beide nunmehr mit schwarzen Schleiern als Symbol für baldigen Witwenstand bzw. aus Koketterie, oder *Die Wallfahrt*

Im Sand begrabener Hund. 1820-1823

Saturn. 1820-1823

Die Wallfahrt von San Isidro. 1820-1823

Der Spaziergang der Inquisition. 1820-1823

nach San Isidro, die hier eher tristes Lamento als freudiges Fest ist. *Asmodea* erinnert an die Reise des jungen Goya nach Italien, wo er die Fresken Michelangelos in der Sixtinischen Kapelle gesehen haben mag; seine Liebe zu den Hunden faßt er in eine sehr direkte und deutliche beklemmende Szene, einen Ausdruck der Hoffnungslosigkeit; die Schlägereien zwischen Spielern im Wirtshaus finden ihre Daseinsberechtigung. Der Haß aus Haß, die Dummheit aus Dummheit, die Nutzlosigkeit der auf die eigene Zerstörung gerichteten menschlichen Vernunft, das Alter als Gegenpol zur sorglosen Kindheit der ersten Teppichkartons.

Asmodea. 1820-1823

Zwei Jungen necken einen Mann. 1820-1823

Judith und Holofernes. 1820-1823

*Bis zum Tode, Zeichnung
für die Caprichos.
1797-1798*

DAS GRAPHISCHE WERK

Nachdem er sich 1771 - vermutlich während seines Italienaufenthalts - mit dem kleinen Stich *Die Flucht nach Ägypten* erstmals der Graveurskunst gewidmet hatte, wendet sich Goya etwa acht Jahre später erneut dieser Technik zu, in der er seine Ideen gut umsetzen kann, und bleibt ihr bis zum Ende seines Lebens im Jahre 1828, also über achtundfünfzig Jahre hinweg, wenn auch nicht ununterbrochen, so doch in sehr hohem Maße treu. Als ruheloser, interessierter Geist ist Goya stets gewillt, neue Tendenzen zu verarbeiten.

Die Serie der Velázquez-Kopien besteht nach Ceán Bermúdez ursprünglich aus achtzehn Platten, von denen 1778 jedoch nur elf zum Verkauf angeboten werden. Im Vergleich mit später entstandenen Serien findet sie die beste Aufnahme, was sich damit erklären läßt, daß sie der allgemeinen Erwartung entspricht, Stiche sollten Reproduktionen von Gemälden sein.

*Zeichnung zu Welch
goldener Schnabel!
1797-1798*

Die einzelnen Platten dienen Goya zur Suche, insofern er die Möglichkeiten dieser Technik hinsichtlich der Wirkung eines offenen Formenbegriffs untersucht. In Goyas religiös motivierten Stichen wird Tiépolos Einfluß spürbar.

DIE "CAPRICHOS"

Hier handelt es sich um eine Serie von fünfundachtzig Radierungen und Tuschezeichnungen, von denen nur achtzig verlegt werden. Die Serie wird 1799 für den Verkauf als Sammlung von Drucken konzipiert und in der Zeitung "Diario de Madrid" folgendermaßen präsentiert: "Sammlung von Drucken launischer Angelegenheiten, erdacht und ausgeführt von Don Francisco Goya. Der Autor ist davon überzeugt, das die Kritik menschlicher Fehler und Laster (mag diese auch der Rede und der Poesie vorbehalten zu sein scheinen) auch im Gemälde möglich ist...". In den Mittelpunkt der Serie stellt Goya vier Figuren- bzw. Motivgruppen: Majos, Eseleien, Hexen und

Mönche. Seine ätzende und spöttische Kritik gilt gleicher-
maßen dem Adel wie dem ignoranten Volk, der Kirche und der
menschlichen Dummheit in allen Varianten; er vermenschlicht
die Tiere und macht sich über den Aberglauben und jedwede
Form von Exzessen lustig. Dabei stützt er sich auf Texte, mit
denen er die Drucke unterschreibt, die allerdings insofern nicht
viel zur Erklärung beitragen, daß die vorbereitenden
Zeichnungen verschiedentlich abweichende Interpretationen
nahelegen. Vermutlich handelt es sich hier um eine
Vorsichtsmaßnahme von Goya selbst.

Zeichnung zu Du, der du nicht kannst.
1797-1798

Zeichnung zu Traum einer Hexenschülerin. 1797-98

Der Schlaf der Vernunft gebiert Ungeheuer sollte die Sammlung eigentlich eröffnen. Sie zeigt den Künstler träumend, an der Grenze der Vernunft, sich von den Ungeheuern befreiend, und nimmt die Definition des Unterbewußten vorweg. *Bis zum Tode* wird als Allegorie der Eitelkeit ausgelegt, könnte aber auch ein unbarmherziger Seitenhieb auf Königin Maria Luisa sein. Die Radierung dieses wunderschönen, in der Wirkung von Licht und Schatten überzeugenden Motivs ragt ob seiner hohen gestalterischen Qualität heraus.

Die Zeichnung *Schlechte Nacht* hat das schwere Los der Prostituierten zum Thema. In heutigen Begriffen wäre Goya ein radikaler Feminist, er unterließ es deshalb aber noch nicht, viele negative Handlungsweisen der Frauen zu kritisieren. Die Radierung weist eine wunderschöne, dynamische Wirkung von Licht und Texturen auf.

Du, der du nicht kannst kritisiert die ungerechte steuerliche Belastung der Armen im Vergleich mit den Privilegierten.

69

Zeichnung zu Verwüstungen des Krieges.
1812-1815

DIE "DESASTRES DE LA GUERRA"

Dieser zweiten Sammlung von Radierungen, die Goya anfertigt, liegt eine realistischere Intention zugrunde, und es scheint, als stehe sie in direktem Bezug zu Erlebnissen oder persönlichen Beobachtungen des Künstlers. Die Serie umfaßt 83 Arbeiten, von denen 80 verlegt wurden. Unter den Motiven finden sich Szenen von großer Heftigkeit und grausamer Spannung, in denen das menschliche Elend keine Grenzen kennt, neben solchen, in denen die große Würde und der Mut der Menschen oder historische Ereignisse im Mittelpunkt stehen, und Kriegsmotiven wie Schlachten, Revolten, Erschießungen und Lynchjustiz und ihren Folgen: Toten, Verwundeten, Waisen und Kranken. Unter Anpassung der Radierungstechnik an die Erfordernisse des Themas kreiert Goya mit einer reichhaltigen Bildsprache sehr persönliche Darstellungen von extremer visueller Wirkung.

Die *Karrenladungen für den Friedhof* waren in den Straßen Madrids wohl an der Tagesordnung. Goya schafft es hier unter Verwendung

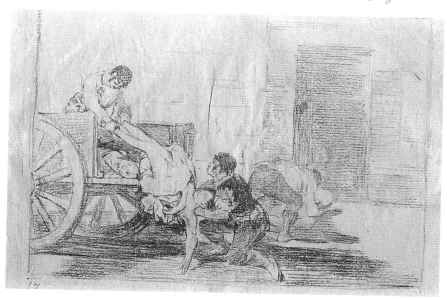

Karrenladungen für den Friedhof. 1812-1815. Zeichnung

Zeichnung zu Er verdient es. 1812-1815

Zeichnung zu Die Wahrheit ist gestorben. 1812

einer äußerst ausgefeilten Radierungs- und Graviernadeltechnik, die Schönheit und Jugend der weiblichen Figur festzuhalten.

Er verdient es: Eine eindrucksvolle Schilderung der Grausamkeit der Massen, in der aus den Augen dessen, der den Toten an den Füßen hinter sich herschleift, offen die Unbarmherzigkeit, aber auch der Schmerz des Verletzenden spricht.

Die Wahrheit ist gestorben: An den eindringlichen Linien, die die Szene in einer fortgesetzten Überlappung von Strichen auf der Suche nach Lichteffekten ganz im Stile Rembrandts unterstreichen, läßt sich bei diesem Stich der Einfluß des holländischen Meisters erkennen. Der Text erzählt uns vom Pessimismus des Künstlers, der daran zu zweifeln schien, wie er die Serie abschließen sollte, denn es gibt ja zwei weitere Stiche mit dem gleichen Bezug: die Nr. 80, *Wird sie wiederauferstehen?,* bei der die Hoffnung zum Ausdruck zu kommen scheint, daß die Wahrheit doch nicht begraben zu werden braucht, und der - sofern möglich - noch optimistischere, unveröffentlichte Druck Nr. 2, *Das ist das Wahre,* auf der die Wahrheit neben dem Ungeheuer des Krieges bzw. - einer anderen Interpretation zufolge - der Frieden neben der Arbeit erscheint; eine Idee, die sehr dem Stil eines aufgeklärten Geistes, wie Goya es war, entspricht.

Der Pöbel reizt den Stier mit Lanzen, Sicheln, Banderillas und anderen Waffen. Zeichnung

"TAUROMAQUIA"

Die dritte, im Jahre 1816 herausgegebene Serie ist die einzige, die eine dokumentierende Funktion hat, insofern sie die Ruhmestaten berühmter Toreros und die Entwicklung des Stierkampfes an sich beschreibt.

Tauromaquia stellt nach den *Caprichos* und den *Desastres de la Guerra* einen grundlegenden Themenwechsel im Werk Goyas dar.

Vermutlich in den Nachkriegsjahren 1814 bis 1816 zieht sich der siebzigjährige, durch dem Krieg ernüchterte und verbitterte Künstler in das Thema des Stierkampfes zurück, der ihn immer so begeistert hatte. Vermutlich wird die Arbeit an dieser Serie durch eine Reihe von Problemen, die zur Entstehung der Disparates führen, unterbrochen. Als Goya sie wieder aufnimmt, scheint er nicht zum illustrierenden Charakter der ersten Platten zurückzufinden. Die Serie wird zu einer Rückerinnerung an Jugenderlebnisse, in der er die Phasen des Stierkampfes mit einer über das Erwartete hinausgehenden Härte und möglichen verborgenen Bedeutung beschreibt.

Zeichnung zu Brennende Banderillas. 1815-1816

Zeichnung zu Die Verwegenheit des Martincho. 1815-1816

Zeichnung zu Lächerliche Torheit. 1815-1824

DIE "DISPARATES"

Dies ist die letzte und in jeder Hinsicht geheimnisvollste der Serien, die Goya radierte. Ihr genaues Entstehungsdatum ist unbekannt, wenn auch die Jahre 1816 bis 1819 vermutet werden und sie mit Sicherheit vor 1824, als Goya nach Bordeaux ging, entstand. Auch die ursprüngliche Anzahl der Drucke, von denen zweiundzwanzig erhalten sind, ist unbekannt. Die teilweise verlorengegangenen vorbereitenden Zeichnungen zu dieser Serie sind in diesem Falle eher Skizzen im eigentlichen Sinne des Wortes, insofern auf ihnen lediglich uns unverständliche Flecken und überlagerte Formen angedeutet sind. Goya verwendete sie auch nicht zur Übertragung des Bildes, sondern zeichnete sie direkt auf die Platte. Aus gutem Grunde wird diese Serie als die rätselhafteste des Meisters bezeichnet und angemerkt, sie stehe sowohl hinsichtlich ihres Charakters als auch hinsichtlich ihrer Konzeption und Ausführung sehr nahe bei den "schwarzen Malereien". Goya gehört neben Dürer und Rembrandt sicher zu den größten Graveuren, die die Kunstgeschichte hervorgebracht hat.

Zeichnung zu Torheit der Angst.
1816-1824

Stierkampf: Lanzengang.
1824-1825

DIE STIERE VON BORDEAUX

Goya beginnt in den letzten Jahren, die er in Spanien verbringt, die Technik der Lithographie zu erlernen, und in seinem Exil in Bordeaux, wo er aus dieser Technik, obwohl alt und fast erblindet, soll sie ihm seine letzten Freuden bereiten. Es geht um die berühmten Stiere von Bordeaux; diese Serie der fünfzehn Lithographien mit ihren diversen, bis heute populären Motiven umfaßt fünf großformatige Stiche. Sie unterscheidet sich durch ihren Charakter von den Tauromaquia-Radierungen. Hier haben die Gruppen von Toreros und Pferden etwas Dunkles, Alptraumhaftes, und die vielen auf dem Platz anwesenden Figuren, die verworrene, aufgewühlte Atmosphäre, verleihen dem Fest einen Ausdruck unkontrollierter Barbarei.

Sitzende Maja und Majo.
1824-1825. Teilansicht

EICHNUNGEN UND MINIATUREN

Die in den Skizzenheften enthaltenen Zeichnungen basieren auf Goyas neuer Auffassung von der Zeichnung als Ausdrucksmittel, die über die Skizze bzw. Vorbereitungszeichnung hinausgeht und in ihr nicht mehr nur einen Weg, sondern das Ziel selbst sieht. In der mit den Buchstaben A bis H bezeichneten Reihe von Heften benutzt er Rotstift und wasserverdünnte Tinte. Auf vielen der Zeichnungen ist die Figur der Herzogin zu erkennen, und einige von ihnen haben als Vorlage für die *Caprichos* gedient. Hinsichtlich der Herzogin entwickelt Goya hier einen Blick, der zwischen Entzücken und Ernüchterung schwankt.

Die Elfenbeinminiaturen stammen aus einer Zeit, in der Goya bereits fast völlig erblindet war. Wie man weiß, benutzte er bei der Arbeit an den Lithographien eine Lupe und stellte sein Werkstück auf eine Staffelei. Goya erneuert die Technik der Elfenbeinminiaturen, indem er das Werkstück zunächst mit Ruß schwärzt und dann einen Tropfen Wasser darauf fallen läßt, durch den der dunkle Untergrund verschwimmt. Die schwarzen Rußringe wußte der Künstler zu nutzen, indem er aus ihnen um die Figuren herum phantasievolle, einander überlagernde Fleckenbilder schuf. *Bei Sitzende Maja und Majo* assoziiert man fast zwangsläufig den Picasso der ersten Jahre.   77

ACHWORT

Die Universalität der Themen und Motive in Goyas gestalterischem Werk und die Authentizität seiner Arbeitsweise machen es recht einfach, seine Empfindungen nachzuvollziehen, die heute noch ebenso aktuell sind, wie sie es zu seinen Lebzeiten waren. Seine tief menschliche Botschaft, seine Sozialkritik und seine freisinnige Mentalität finden ihren Ausdruck in einer künstlerischen "Form", die sich auch im Ästhetischen den erneuernden Ideen beugt. Goyas gestalterische Ausdrucksweise ist in diesem Sinne frei und kraftvoll und geht gar über die aufklärerischen Ideen seiner Zeit hinaus, die so sehr dazu neigen, akademische Ideen hervorzubringen und an sie zu glauben, wie auch an die klassizistische harmonische Ausgewogenheit als höchstem Wert für die Kunst.

Vermutlich war Goya der letzte der großen klassischen Meister, das fehlende Glied in der Reihe der ganzheitlichen Künstlern, die uns aus dem Reichtum der Renaissance in die Moderne katapultieren. Nach Goya tendiert der Künstler dazu, sich selbst zu beschränken, er wendet sich gegen das Mäzenentum und spezialisiert sich. Goya dagegen ist der ganzheitliche, leidenschaftliche und widersprüchliche Künstler, in dem die Frivolität der Wandteppiche neben der Kritik der *Caprichos,* der Stierkampf neben dem Heiligenbild, das Fresko neben der Elfenbeinminiatur, Zeichnung oder Radierung, das Bildnis des dekadentesten Adeligen neben der Darstellung des Volkes in Waffen und vor dem Standgericht existiert.

Goya wirkt auf seine Epoche, weil er die Grenzen ihrer darstellerischen Gewohnheiten überschreitet, indem er auf den Glanz und Schwung der Romantik, die Suggestivkraft des Impressionismus und die Komplexität des Surrealismus vorgreift. Manet und Picasso sollten sich später auf ihn berufen.

Die schöpferische Freiheit, die Innovation, die die akademische Dominanz der Technik ersetzt, die Bereitschaft zu lernen, die Fähigkeit, die Grenzen des Scheins der Wirklichkeit zu überschreiten, die Verpflichtung gegenüber dem Menschlichen, das alles ist Goya, Revolutionär und Erneuerer, Künstler des Jahrhunderts der

Aufklärung, Urheber aller Epochen.

BIBLIOGRAPHIE

Agueda, M. und Salas, X. de (Hrsg.): **Cartas a Martín Zapater**. Turner, Madrid 1982. Bozal, V.: **La Imagen de Goya**. Lumen, Barcelona 1983. Gállego, J.: **Conversaciones sobre Goya y el arte contemporáneo**. CSIC, Zaragoza 1980. Gállego, J.: **Autorretratos de Goya**. CSIC, Zaragoza 1975. Gassier, P. und Wilson, J.: **Vida y obra de Francisco de Goya**. Gesamtwerk. Juventud, Barcelona 1974. Gassier, P.: **Goya testigo de su tiempo**. Ediciones de Arte y Bibliofilia, Madrid 1984. Gudiol, J.: Goya 1746-1828. **Biografía, estudio analítico y catálogo de sus pinturas**. Polígrafa, Barcelona 1985. Harris, T.: Goya. Engravings and litographs. B. Cassier, Oxford 1964. Helman, E.: **Trasmundo de Goya**. Alianza Forma, Madrid 1983. Helman, E.: **Jovellanos y Goya**. Taurus, Madrid 1970. Lafuente Ferrari, E.: **Goya, grabados y litografías**. Buenos Aires 1961. Lafuente Ferrari, E.: "Los Desastres de la Guerra" y sus dibujos preparatorios. Gili, Barcelona 1952. Lafuente Ferrari, E.: **Goya los frescos en San Antonio de la Florida**. Genf 1958. Paas-Zeidler, S.: **Goya. Caprichos. Desastres. Tauromaquia. Disparates**. Gili, Barcelona 1980. Páez, E.: **Grabados y dibujos de Goya en la Biblioteca Nacional**. Katalogführer. Nationalbibliothek, Madrid 1946. Pérez Sánchez, A. E.: **Goya. Caprichos. Desastres. Tauromaquia. Disparates**. Juan-March-Stiftung, Madrid 1979. Sambricio, V. de: Tapices de Goya. Madrid 1946. Seydel, M. und Bahalij-Merin, O.: Goya. "Los Caprichos", su verdad escondida. Encuentro, Madrid 1983. Williams, G. A.: **Goya y la revolución imposible**. Icaria, Barcelona 1978.

ABBILDUNGSVERZEICHNIS

Seite 2: Selbstbildnis im Atelier (1790-95), Madrid, Privat sammlung Gräfin von Villagonzalo; S. **5:** Selbstbildnis des Neunzigjährigen (1815), Madrid, Akademie San Fernando; S. **6:** Die Schaukel (1779), Madrid, Museo del Prado; S. **7:** Bildnis des Francisco Bayeu (1795), Madrid, Museo del Prado; S. **8:** Bildnis der Josefa Bayeu (1795-96), Madrid, Museo del Prado; S. **9:** Der Blinde mit der Gitarre (1778), Madrid, Museo del Prado; S.**10:** Der Sonnenschirm (1777), Madrid, Museo del Prado; S. **11:** Der Töpfermarkt (1779), Madrid, Museo del Prado; S.**12:** Der Tanz am Ufer des Manzanares (1777), Madrid, Museo del Prado; S. **13:** Ballspiel mit dem Schläger (1779), Madrid, Museo del Prado; S. **14:** Der Kampf mit dem Jungstier (1780), Madrid, Museo del Prado; S. **15:** Christus am Kreuz (1780), Madrid, Museo del Prado; S. **16:** Königin Maria Luisa im Prachtgewand (1799-1800), Madrid, Museo del Prado; S. **17:** Ferdinand VII. in einem Feldlager (1814), Madrid, Museo del Prado; S. **18:** Reiterbildnis der Königin Maria Luisa (1799), Madrid, Museo del Prado; S. **19:** Bildnis des Kardinals Luis Maria von Bourbon und Vallabriga (1800), Madrid, Museo del Prado; S. **20:** Königin Maria Luisa mit Mantille (1799) Madrid, Königspalast; S. **21:** König Karl IV. in Uniform (1799-1800), Madrid, Museo del Prado; S. **22:** Reiterbildnis des Generals Palafox (1814), Madrid, Museo del Prado; S. **23:** Die Familie des Herzogs von Osuna (1788), Madrid, Museo del Prado; S. **24:** Bildnis des Gaspar Melchior von Jovellanos (1798), Madrid, Museo del Prado; S. **25:** Bildnis des Generals Urrutia (1798), Madrid, Museo del Prado; S. **26:** Bildnis der Marquise von Villafranca (1804), Madrid, Museo del Prado; S. **27:** Zeichnung zu Der Schlaf überwältigt sie, Madrid, Museo del Prado; S. **27:** Zeichnung zu Dieser Staub, Madrid, Museo del Prado; S. **27:** Man kann es nicht ansehen, Zeichnung aus dem Heft C (1814-23), Madrid, Museo del Prado; S. **28:** Duell mit dem Knüppel (1820-23), Madrid, Museo del Prado; S. **29:** Zwei essende Alte (1820-23), Madrid, Museo del Prado; S. **29:** Bildnis der Leocadia (1820-23), Madrid, Museo del Prado; S. **30:** Das Milchmädchen von Bordeaux (1825-27), Madrid, Museo del Prado; S. **31:** Ich lerne noch, Zeichnung aus dem Heft G (1824-28), Madrid, Museo del Prado; S. **31:** DasDuell (1819), Madrid, Nationalbibliothek; S. **32:** Bildnis des Juan Bautista von Muguiro (1827), Madrid, Museo del Prado; S. **33:** Entwurf zu Das Wunder des heiligen Antonius von Padua (1798), Sammlung L. Maldonado; S. **34:** Die Ergreifung Christi, Teilansichten; S. **35:** Entwurf zu Die Ergreifung Christi (1798) Madrid, Museo del Prado; S. **36:** Die Wachteljagd (1775), Madrid, Museo del Prado; S. **37:** Streit im neuen Wirtshaus (1777) Madrid, Museo del Prado; S. **38:** Kinder beim Aufblasen einer Blase (1778), Madrid, Museo del Prado; S. **38:** Kinder mit Hirtenhunden (1786-87), Madrid, Museo del Prado; S. **39:** Kinder beim Soldatenspiel (1778), Madrid, Museo del Prado; S. **39:** Knaben bei der Obsternte (1778), Madrid, Museo del Prado; S. **40:** Die Tenne oder Der Sommer (1786-87), Madrid, Museo del Prado; S. **41:** Die Blumenmädchen oder Der Frühling (1786-87), Madrid, Museo del Prado; S. **41:** Die Weinlese oder Der Herbst (1786-87), Madrid, Museo del Prado; S. **41:** Der Schneefall oder Der Winter (1786-87), Madrid, Museo del Prado; S. **42:** Der trunkene Maurer (1786), Madrid, Museo del Prado; S. **42:** Der verletzte Maurer (1786), Madrid, Museo del Prado; S. **43:** Die Wallfahrtskapelle San Isidro (1788), Madrid, Museo del Prado; S. **44:** Der Anger von San Isidro (1788), Madrid, Museo del Prado; S. **44:** Die Blindekuh (1788-89), Madrid, Museo del Prado; S. **45:** Die Gliederpuppe (1792), Madrid, Museo del Prado; S. **46:** Der Herzog von Alba (1795), Madrid, Museo del Prado; S. **47:** Die Herzogin von Alba und die Betschwester (1795), Sammlung Berganza Martin; S. **48:** Die Familie von Karl IV. (1800), Madrid, Museo del Prado; S. **49:** Bildnis der Infantin Maria Josefa, Entwurf (1800), Entwurf, Madrid, Museo del Prado; S. **49:** Luis von Bourbon, Prinz von Parma, Entwurf (1800), Madrid, Museo del Prado; S. **49:** Bildnis des Infanten Carlos Maria Isidro, Entwurf (1800), Madrid, Museo del Prado; S. **49:** Bildnis des Infanten Antonio Pascual, Entwurf (1800), Madrid, Museo del Prado; S. **50:** Bildnis des Infanten Francisco von Paula Antonio, Entwurf (1800), Madrid, Museo del Prado; S. **51:** Toter Truthahn und Korb (1808-12), Madrid, Museo del Prado; S. **52:** Die nackte Maja (1800-05), Madrid, Museo del Prado; S. **53:** Die bekleidete Maja (1800-05), Madrid, Museo del Prado; S. **54:** Der Flug der Hexer (1797-98), Sammlung Ortiz Patiño; S. **55:** Wilde enthaupten eine Frau (1800-05), Madrid, Museo del Prado; S. **55:** Der Schiffbruch (1793-94), Privatsammlung; S. **56:** Der 2. Mai 1808 (1814), Madrid, Museo del Prado; S. **57:** Die Erschießung der Aufständischen (1814), Madrid, Museo del Prado; S. **58:** Der Koloß (1808-12), Madrid, Museo del Prado; S. **59:** Bildnis von Ferdinand VII. im Krönungsmantel (1814), Madrid, Museo del Prado; S. **60:** Der Hexensabbat (1820-23), Madrid, Museo del Prado; S. **61:** Der Hund (1820-23), Madrid, Museo del Prado; S. **62:** Saturn verschlingt einen seiner Söhne (1820-23), Madrid, Museo del Prado; S. **63:** Die Wallfahrt von San Isidro (1820-23), Madrid, Museo del Prado; S. **63:** Die Prozession der Inquisition (1820-23), Madrid, Museo del Prado; S. **64:** Zwei Alte (1820-23), Madrid, Museo del Prado; S. **65:** Asmodea (1820-23), Madrid, Museo del Prado; S. **65:** Zwei Jungen necken einen Mann (1820-23), Madrid, Museo del Prado; S. **65:** Judith und Holofernes (1820-23), Madrid, Museo del Prado; S. **66:** Bis zum Tode, Zeichnung zum Capricho Nr. 55 (1797), Madrid, Museo del Prado; S. **67:** Welch goldener Schnabel!, Zeichnung zum Capricho Nr. 53 (1797), Madrid, Museo del Prado; S. **68:** Schlechte Nacht, Zeichnung zum Capricho Nr. 36 (1797), Madrid, Museo del Prado; S. **69:** Du, der du nicht kannst, Zeichnung zum Capricho Nr. 42 (1797), Madrid, Museo del Prado; S. **69:** Traum einer Hexenschülerin; S. **70:** Verwüstungen des Krieges, Zeichnung zum Desastre Nr. 30 (1810-11), Madrid, Museo del Prado; S. **71:** Karrenladungen für den Friedhof, Zeichnung zum Desastre Nr. 64 (1810-11), Madrid, Museo del Prado; S. **71:** Er verdient es, Zeichnung zum Desastre Nr. 29 (1810-11), Madrid, Museo del Prado; S. **72:** Die Wahrheit ist gestorben, Zeichnung zum Desastre Nr. 79 (1810-11), Madrid, Museo del Prado; S. **73:** Der Pöbel reizt den Stier mit Lanzen, Sicheln, Banderillas und anderen Waffen, Zeichnung zur Tauromaquia Nr. 12 (1814-16), Madrid, Museo del Prado; S. **74:** Brennende Banderillas, Zeichnung zur Tauromaquia Nr. 31 (1814-16), Madrid, Museo del Prado; S. **74:** Die Verwegenheit des Martincho, Zeichnung zur Tauromaquia H (1814-16), Madrid, Museo del Prado; S. **75:** Eine Menge von Leuten auf einem Baum, Zeichnung zum Disparate Nr. 3. Lächerliche Torheit (1815-24), Madrid, Museo del Prado; S. **76:** Torheit der Angst, Zeichnung zum Disparate Nr. 2 (1815-24), Madrid, Museo del Prado; S. **76:** Stierkampf: Lanzengang (1824-25), Madrid, Museo del Prado; S. **77:** Sitzende Maja und Majo (1824-25), Stockholm, Nationalmuseum.

EDITORIAL ESCUDO DE ORO, S.A.

1. Auflage

I.S.B.N 84-378-1766-8

Gedruckt in FISA-ESCUDO DE ORO, S.A.

Dep. Legal B.15147-1996

Gedruckt in E.G.